食料問題

ハルト

アースくん

リン

いまどうなっているの?

そもそも食料問題ってどういうことなの? ……………………………… 2
世界ではどれくらいの食料がつくられているの? ……………………… 4
どうして食料が足りなくなるの? ………………………………………… 6
食料が足りなくなると何が起こるの? …………………………………… 8
「食品ロス」って何? ……………………………………………………… 10
これからも日本で食料不足になることはあるの? ……………………… 12

なぜそうなっているの?

食料をつくるのに、どれくらいの土地が使われているの? ………… 14
食料をつくるのに、どれくらいの水が使われているの? …………… 16
食べものがあっても、手に入らないってどういうこと? …………… 18
戦争が起こるとなぜ食料不足になるの? ……………………………… 20
気候変動で食料の生産はどうなるの? ………………………………… 22
食料の生産が環境にあたえる影響はあるの? ………………………… 24
バイオマスエネルギーが食料不足の原因になっているの? ………… 26

これからどうすればいいの?

世界の人口がふえているけど、食料はだいじょうぶなの? ………… 28
将来、世界で必要になる食料はどのくらい? ………………………… 30
いまよりも農作物の収穫量をふやすことはできるの? ……………… 32
農業の生産量を上げて、ずっとつづけていくにはどうすればいいの? … 34
食料問題のためにわたしたちができることはあるの? ……………… 36

あとがき ……… 38　　さくいん ……… 39

いまどうなっているの？①

そもそも食料問題ってどういうことなの？

食料問題とは、食料に関係しているさまざまな問題のこと。なかでも深刻なのは、食料が足りなくて、飢えや栄養不足に苦しんでいる人がたくさんいることなんだ。

食べものをじゅうぶんに食べられないということは、命にかかわる問題だよね。

世界には、飢えに苦しんでいる人は、どれくらいいるの？

2023年で、飢餓（🔑）の状態にある人は、世界で約7億1,300万人から7億5,700万人にのぼるんだ。世界の人口は約81億人だから、11人に1人が飢えていることになる。2010年代にかけて、へってきたのだけれど、2018年からふたたびふえつづけているんだよ。また、世界では約23億人がじゅうぶんな食事をとれていないといわれているよ。

キーワード 🔑 **飢餓**

長い期間にわたって、じゅうぶんに食べものを食べられず、栄養不足で、生きていくことや、すこやかな生活を送るのがむずかしい状態のこと。

じゅうぶんな食料がなく栄養が不足している幼児（ナイジェリア）。

飢えで苦しんでいる人は、世界のどの地域に多いの？

世界で飢餓の状態にある人の半数以上にあたる約3億8,450万人はアジアにすんでいるんだ。アフリカも多くて、約3億人が飢えに苦しんでいると考えられているよ。ただ、割合でみると、アジアで飢えている人の割合は、12人に1人（8.1％）だけど、アフリカの割合は、5人に1人（20.4％）にもなり、ほかの地域よりもぬきん出て高いんだ。

● 飢えている人の数と割合

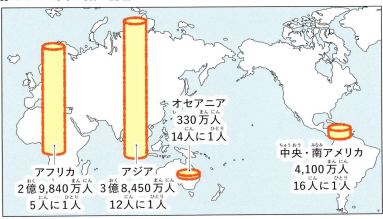

アフリカ
2億9,840万人
5人に1人

アジア
3億8,450万人
12人に1人

オセアニア
330万人
14人に1人

中央・南アメリカ
4,100万人
16人に1人

資料：「The State of Food Security and Nutrition in the World 2024」（国連食糧農業機関）をもとに作成

いまどうなっているの？②

世界ではどれくらいの食料がつくられているの？

わたしたちが食べているご飯やパンなどの材料は、いったいどれくらいつくられているのかな？

ご飯やパンなどの主食となる食料（🔑）は、おもに穀物からつくられる。穀物というのは、米や小麦、トウモロコシのことで、大豆をふくむこともあるよ。この4種の穀物の生産量はずっとふえつづけていて、いまでは世界で1年間に約28億2000万トンつくられているよ。種類別にみると、もっとも多いのがトウモロコシ、次に小麦が多いんだ。国別では中国がもっとも多く、世界全体の生産量の20％をしめているよ。

● 世界の穀物生産量の変化

世界で生産される穀物（米、トウモロコシ、小麦、大麦など）の生産量の変化。穀物の一部は、食料のほかに飼料や油、燃料の原料などにも利用されている。

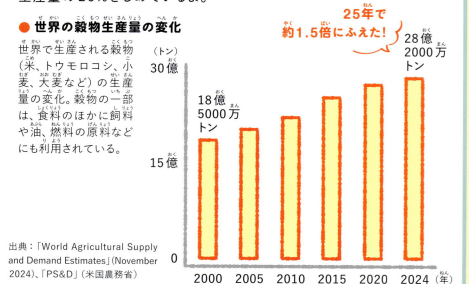

出典：「World Agricultural Supply and Demand Estimates」(November 2024)、「PS&D」(米国農務省)

> **キーワード** 🔑 **食料**
>
> 食料は穀物のほかに、肉や野菜、加工食品、調味料など、さまざまな食材をふくむ食べもの全体のこと。にている言葉として食糧があるが、これは、おもに米や麦などの穀物など、主食になる食材をさしている。この本では、食べもの全体の問題をあつかうので、「食料」とあらわす。

 ご飯やパンのほかに、肉や魚などいろいろなものを食べているけど、みんなふえているのかな?

肉は、おもに牛肉、豚肉、鶏肉の3種類が食べられている。これらの肉の世界生産量は2022年で約3億トン。年々ふえつづけていて、この50年間で3.5倍にもなっているよ。もっとも生産量が多いのは豚肉で約1億2,229万トン、ついで鶏肉1億182万トン、牛肉7,579万トンとなっているんだ。魚などの魚介類の生産量もずっとふえつづけていて、2022年には漁業と養殖を合わせて約2億2,322万トンになったよ。

ウシを飼育するには、大量の穀物が飼料として必要になる。

調べてみよう! 肉 生産量 世界

いまどうなっているの？③

どうして食料が足りなくなるの？

どうして世界には食料が足りない国が出てきてしまうの？

じつは世界では、すべての人がじゅうぶんに食べることができる量の食料が生産されているんだよ。ただ、その食料をすべての人々に行きわたらせるのは、現実的にはむずかしくて、国によって食料があまったり、足りなくなったりしてしまうんだ。食料が足りなくなる理由は、おもに次のとおりだよ。

貧困

じゅうぶんな収入がなく、食料を手に入れることができない。

戦争

農地があれはてて、農業ができなくなる。

気候変動・自然災害

大雨や干ばつなどで、農作物が被害を受ける。

人口増加

1人あたりの食料の量が足りなくなる。

📖 3巻

じゅうぶんに食料がある国が、足りない国に食料をわけてあげれば解決するんじゃないの？

食料があまっている国もあるんでしょ？

ある国があまった食料を、食料の足りない国に輸出しようとしても、経済的に豊かでない国の人々は、それを買うことができないんだ。支援として無料で食料をわたす方法もあるけれど、そのような支援は一時的な助けにはなっても、根本的な解決にはならない。将来にわたって、つづけていくことはできないんだ。
いちばんいい方法は、その国がじゅうぶんな農作物をつくれるようになることだ。でも、土地や気候がもともと農業に向いていなかったり、農業技術や設備にかけるだけのお金がなかったりするので、すぐに解決することはむずかしいんだよ。

干ばつで水が飲めずに死んだウシ。2022年、アフリカ東部のケニアやソマリアでは、きびしい干ばつにおそわれた。これらの地域では農業の設備などが整っていないため、自然災害の影響を受けやすい。

いまどうなっているの？④

食料が足りなくなると何が起こるの？

スーパーマーケットなどのお店から食べものがなくなったら、とても不安になるね。

生きていくためには食料が必要だからね。食料不足になるとどんなことが起こるの？

食料の量が少なくなると、手に入りにくくなるだけでなく、食料の値段が上がる。そうすると、食料にたくさんのお金がかかって、人々の生活が苦しくなるんだ。そうなると飢えたり、栄養不足になったりするほか、食料のうばいあいが起きたり、治安が悪くなったり、人々の不満が高まって暴動が起こることもあるよ。

2022年にスリランカで起こった暴動のようす。収入がへって、食料などが買えなくなった人々が政府への不満をうったえて警官隊と衝突した。

日本でも食料が足りなくなったことがあったの？

何度かあるよ。1993年は、夏の気温が平年よりも2〜3度も低かったため、日本中で米のできが悪くなり、1994年にかけて、全国的な米不足になったんだ。政府は、たくわえていた米を市場に出したけど、それでも足りず、タイやアメリカなどから約260万トンの米を輸入して乗り切ったんだ。これは「平成の米騒動」といわれているよ。そのほかにも、地震や自然災害による一時的な品不足や、食品価格の急な値上がりはこれまで何度も起こっている。食料不足は日本にとってひとごとじゃないんだ。

1993年の米不足で、アメリカから輸入された米。このときはアメリカのほか、中国、タイ、オーストラリアからも米が輸入された。

2024年夏にも、多くの店で米が売り切れになった。このときは地震にそなえるための買いだめと猛暑がおもな理由だった。

調べてみよう！ 米不足

いまどうなっているの？⑤

「食品ロス」って何？

期限が切れてしまった食べものを捨てたり、外食して食べ残してしまったりすることがあるけど、いったいどれくらいの量の食べものが捨てられているのかな？

本来は食べられるのに捨てられてしまう食品を、食品ロス（🔑）とよんでいるんだ。日本の食品ロスの量は、2022年で472万トンといわれているよ。1人あたりで計算すると、1年で約38kg。1日に茶わん1杯のご飯と同じ量（約103g）の食品を捨てている計算になるんだよ。

キーワード🔑 食品ロス

食料製品をつくるときに出る野菜くず、しぼりかす、肉の骨や皮など、食べないものまでふくめた食品関係のごみのことを食品廃棄物という。この食品廃棄物のうち、食べられるのに捨てられてしまうのが食品ロス。家庭での食べ残し、期限切れ、調理くず、食品工場での製品くず、商店の売れ残り、飲食店での食べ残しなどがある。

● 日本の食品ロスの内訳

事業系 236万トン
家庭系 236万トン

以前は事業系のほうが多かったが、現在は家庭系がふえてきている。

出典：「令和4（2022）年度食品ロス量推計値の公表について」（消費者庁）

食品ロスが多いと、どういうことが問題になるの?

世界では、1年間で食品全体の約40％にあたる約25億トンの食品が捨てられているんだ。もったいないと思うよね。食料がむだになるというのはこういうことなんだ。

食料をつくるためにかけた水、肥料、エネルギー、人手がむだになる。

ごみがふえる。燃やすと地球温暖化の原因となる二酸化炭素が出る。

お金を損する。買った人だけでなく、つくった人、ごみを処理する人もむだなお金を使うことになる。

もっと知りたい！

消費期限と賞味期限のちがい

消費期限は「この日をすぎたら食べないで」という日。いたみやすいもの（なまもの、弁当、パンなど）の安全に食べられる期限をしめす。賞味期限は「この日までおいしく食べられる」という日。いたみにくいもの（おかし、ペットボトル飲料、カップめんなど）にしめされる。賞味期限をすぎてもすぐに食べられなくなるわけではない。

カップめんにしめされた賞味期限。

調べてみよう！ 食品ロス 変化

11

いまどうなっているの？⑥
これからも日本で食料不足になることはあるの？

日本は多くの食料を外国からの輸入にたよっているって聞いたよ。でも、食料不足になることはないんだよね？

日本の食料自給率（🔑）は2022年で38％。つまり、食料の約6割を輸入にたよっているんだ。それらの食料をつくる国で生産量がへったり、戦争が起こったりしたら、すぐに日本が輸入する食料に影響が出ることになる。輸入できなくなることもあるかもしれない。そうなると、日本国内の生産量では、みんなが食べる量をまかないきれないから、価格も高くなるし、食料は行きわたらなくなる可能性があるよ。

キーワード 🔑 食料自給率

国内で消費される食料のうち、どれくらい国内産でまかなわれているかを割合でしめしたもの。日本の食料自給率はこの60年でおよそ半分にへった。食事が、米・野菜・魚などから、パン・肉・油を使ったものに変わったことが、大きな原因である。国民の食の安全を守るため、日本政府は、食料自給率を45％まで引き上げる目標をかかげている。

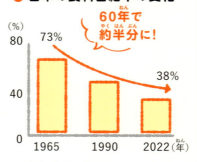
● 日本の食料自給率の変化

60年で約半分に！

1965: 73%　1990　2022(年)

出典：農林水産省ホームページ

調べてみよう！　世界　食料自給率

国内の不作や不漁も食料危機を引きおこす原因になるよ。国内でつくっていれば、安心ともかぎらないんだ。不作や不漁はいつでも起こりうるし、地球温暖化による猛暑や大雨など異常気象の影響も心配されているよ。

台風でたおれてしまった収穫前のイネ。ぬれたものが発芽したり、小石がまざったりするため、収穫量はへってしまう。

スーパーマーケットにはたくさん食べものがあるけれど、安心とはいえないんだね。

国内でもっと食料をつくれないの？

日本は山が多い国だから、農地にできる土地はかぎられているんだ。しかも、農業人口もへりつづけているんだ。2010年に205万人だった農業人口は、2023年には116万人にまでへった。農業人口の約8割が60歳以上で、これからも農家の数はへっていくと考えられているよ。また、漁業につく人の数もへっている。食料自給率をふやすことはかんたんではないんだ。

なぜそうなっているの？①

食料をつくるのに、どれくらいの土地が使われているの？

あまったり、足りなかったり、つくれなかったり。食料をうまく行きわたらせることができない原因はたくさんあるよ。ここから、どんな原因があるのかみてみよう。

食料をつくっているといえば、やっぱり農家の人たちだよね。

米や野菜などを栽培するには田んぼや畑が必要だけど、世界にはどれくらいの農地があるのかな？

世界全体の農地面積は47億8,100万ヘクタール（2022年）で、世界の陸地全体の3分の1以上をしめているよ。ただ、アフリカの国々などは、農地は多いんだけど、面積あたりの収穫量が少ないという問題があるよ。

じゃあ、農地をふやしていけばいいんじゃない?

農地の面積はふえていないの?

農地の面積は、この50年間でほとんどふえていないんだ。田畑はふえているんだけど、牧草地がへっているんだ。また、アフリカや南アメリカの熱帯地域では、森林を切り開くことで農地面積をふやしているけど、農作物を育てる土地の力がおとろえて、結局、農地として使えなくなってしまうことも多い。それに森林を破壊すると、いろいろな環境問題や自然災害を引きおこすから、これまでのように大規模な開発をおこなうことはできないんだ。これから先、農地をふやしていくことはむずかしいんだ。

南アメリカにあるアマゾンの森林破壊のようす。アマゾンでは、木を木材として利用したり、土地を農地として利用したりするために森林を切り開いたことで、この35年間で日本よりも広い面積の森林が失われた。

15

> なぜそうなっているの？②

食料をつくるのに、どれくらいの水が使われているの？

農作物をつくるのに、田んぼや畑に、たくさんの水が使われているよね。

ほかにどんなことに使われているの？

米をつくる田んぼには水をはるし、穀物をつくる畑にもたくさんの水をまく。でも、それだけじゃない。ウシやブタなどの家畜も水を飲むし、家畜のえさとなる飼料を育てるのにも、たくさんの水が使われているんだ。おもな食料を1kgつくるのに、どれくらい水がいるのかあらわしたのが下の表だよ。とくに牛肉をつくるのには、大量の水が必要なんだよ。

● 1kgの食料を生産するために必要な水の量

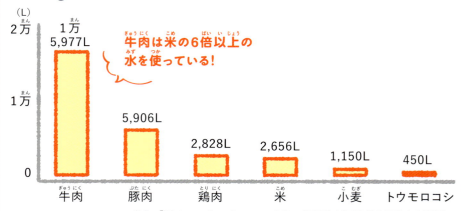

牛肉は米の6倍以上の水を使っている！

牛肉 1万5,977L
豚肉 5,906L
鶏肉 2,828L
米 2,656L
小麦 1,150L
トウモロコシ 450L

出典：「Water: a shared responsibility (2006)」（国連教育科学文化機関）

たくさんの食料をつくるには、たくさんの水が必要になるっていうことだね。

人間も水を飲まないと生きていけないし、水の大切さがよくわかるね。

人間は、農業用水や、飲み水などの生活用水、工業用水など、さまざまなことに水を利用している。そのなかで、もっとも多くの水を使っているのは、農業（畜産業をふくむ）なんだ。人間が利用している水全体の約70％は農業に使われているよ。農業に使うための水は、川や湖、井戸から農地に引いてくるんだ。この方法を「かんがい」というよ。ただ、かんがいによって川や湖などの水源地が枯れてしまう被害も起きているんだよ。

📖 2巻

バーチャルウォーター

その食料を生産するのに使った水の量を計算したものをバーチャルウォーターという。日本はたくさんの食料を輸入している。バーチャルウォーターで考えると、それは、その食料の生産国で使われた水をたくさん輸入して、日本で使っていることになる。バーチャルウォーターによって、世界の水不足の問題について、自分の国がどれだけ負担をかけているかをとらえることができる。

● 料理のバーチャルウォーター

料理のバーチャルウォーターは、材料それぞれをつくるのに使った水の量を合計したもの。水を多く使う牛肉の料理はバーチャルウォーターも多くなる。

牛肉（70g）1,442L

たまねぎ（20g）3.16L

ごはん（120g）444L

牛丼1杯 約1,889L

なぜそうなっているの？③

食べものがあっても手に入らないってどういうこと？

食料を買うお金がないから、手に入れられない人がたくさんいるって聞いたよ。

食料が不足する理由は、その国の生産量が足りなくて、食べものが行きわたらないほかに、貧しくて食料を買えないということがあるんd。また、貧しい国は政治が不安定で、しばしば戦争が起こることもあり、食料不足になりやすいんだ。そうすると、食料の値段が高くなり、人々はますます買えなくなってしまうんだよ。

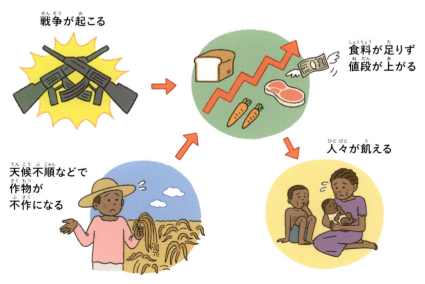

お金があれば、食料を買えるからだいじょうぶってこと？

お金があっても、かならずじゅうぶんな食料を買うことができるとはかぎらないんだ。なぜかというと、食料はつねに値段が変化していて、ほしい人がふえると値上がりするからなんだ。もし、世界的な不作が起こったり、戦争などで食料の生産量がへったりすると、値段が上がって、いままで買えていた人が買えなくなることもあるんだよ。

● 世界の水産物国際取引価格（1トンあたり）の変化

マグロなどの魚は、世界の多くの国で食べられるようになったため、値段が高くなった。

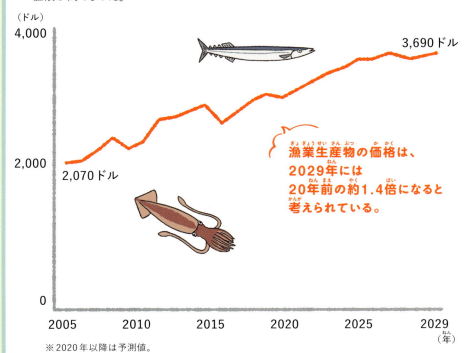

漁業生産物の価格は、2029年には20年前の約1.4倍になると考えられている。

※2020年以降は予測値。

出典：「令和2年水産白書」（水産庁）

なぜそうなっているの？④

戦争が起こると なぜ食料不足になるの？

食料不足の原因のひとつが戦争って聞いたけど、どうしてなの？

戦争が起こると、安心して農作業ができないだけでなく、戦いによって家や農地、農業設備などがこわされることもある。そうすると、農作物の生産量がへって、農業で生活をしていた人は収入を得られなくなる。食料の値段も高くなるのにくわえ、食料を運ぶのもむずかしくなり、外国からの支援もとどきにくくなる。こうしたさまざまな原因が重なって、食料をつくるのも、買うのも、とどけるのもむずかしくなって、たくさんの人々が食料不足になるんだよ。

● 戦争などによって深刻な飢餓にある国々

出典：「Forty-Nine Million People in 43 Countries One Step Away from Famine, Secretary-General Warns in Briefing to Security Council on Conflict, Food Security」（国際連合）

20

遠い国での戦争なら、日本の食料には影響はないよね？

それが、食料の問題は、戦争が起きた国だけでなく、ほかの国にも影響するんだ。日本は小麦やトウモロコシ、大豆など、多くの食料を輸入にたよっている。これらの食料は、生産国が戦争になったりすると、急に値段が上がったり、じゅうぶんな量を輸入できなくなるんだ。最近の例では、ロシアが世界的な小麦の生産国であるウクライナに侵攻したことで、小麦の価格が高くなっている。そのため、日本でも小麦を使ったパンなどの食品も値上がりしているんだよ。

もっと知りたい！ ウクライナ侵攻と食料不足

2022年2月、ロシアがウクライナにせめこんで、ウクライナ戦争がはじまった。ウクライナもロシアも、世界有数の小麦生産国である。ロシアがウクライナの港を封鎖したり、多くの国がロシアに対して経済制裁をおこなったりしたため、ロシアとウクライナの小麦が出まわらなくなった。そのため、小麦の国際価格が上がり、世界の食料の価格は約1.5倍になった。そして、その影響で、アフリカなど多くの国で食料不足を引きおこした。

ウクライナの穀倉地帯。ウクライナ侵攻前には、この地域で収穫された小麦の多くが、海外に輸出されていた。

なぜそうなっているの？⑤

気候変動で食料の生産はどうなるの？

地球温暖化による気候変動で、農業はどのような影響を受けるの？

気温が上がったことで、日本では、いままで寒すぎた地域でもミカンを栽培できるようになったり、気温が高くなってリンゴが育たず、品質が落ちたりしている。農作物の成育は、気温、降水量、日射量などの影響を受けるから、地球温暖化は農業にとって大きな問題なんだ。地域や農作物によってそれぞれちがうけれど、うまく生産をつづけていくための取り組みが必要だよ。また、地球温暖化による干ばつや大雨、洪水などの異常気象も、農業生産に大きなダメージをあたえるんだ。

宮城県南部の山元町のミカン。2020年ごろから栽培されている。
画像提供：山元町

3巻

地球温暖化によって、海水の温度も上がっているって聞いたよ。

そうなると漁業にも影響があるんじゃない?

地球温暖化が原因と考えられる海水温の上昇や、海流の変化、えさや環境の変化によって、それぞれの海域にすんでいる魚の種類や数が変わってきているんだ。そのため、これまでとれた魚がとれなくなったり、とれなかった魚がとれるようになったりと、漁業にも大きな影響をあたえているよ。たとえば、2012年と2022年をくらべると、北海道のサンマの漁獲量は約15分の1にへっている。「サンマが高級魚になる」とニュースにもなったよ。

● 日本近海で漁獲量がふえた魚とへった魚

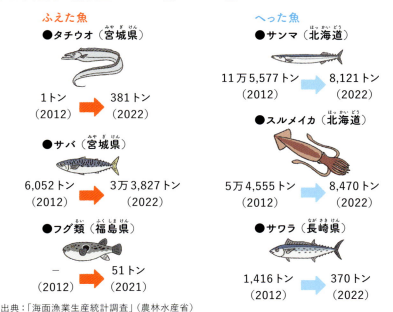

ふえた魚
- ●タチウオ（宮城県） 1トン（2012）→ 381トン（2022）
- ●サバ（宮城県） 6,052トン（2012）→ 3万3,827トン（2022）
- ●フグ類（福島県） −（2012）→ 51トン（2021）

へった魚
- ●サンマ（北海道） 11万5,577トン（2012）→ 8,121トン（2022）
- ●スルメイカ（北海道） 5万4,555トン（2012）→ 8,470トン（2022）
- ●サワラ（長崎県） 1,416トン（2012）→ 370トン（2022）

出典:「海面漁業生産統計調査」(農林水産省)

調べてみよう! 気候変動 漁場

3巻

なぜそうなっているの？⑥

食料の生産が環境にあたえる影響はあるの？

農業が環境に悪い影響をあたえることがあるの？

森林はさまざまな生きものをはぐくみ、めぐみをあたえてくれる。しかし、世界各地で、プランテーション（🔑）などの農地を拡大するために、森林が切りひらかれているんだ。2010年から2020年までの10年間で、世界では4700万ヘクタールの森林が失われた。これは日本の面積の1.2倍にもなるよ。また、熱帯地域でよくおこなわれている焼畑農業は、一度焼くと回復するのに時間がかかり、多くの二酸化炭素を出すため、環境にはよくないんだ。

キーワード 🔑 プランテーション

先進国の企業などが、コーヒーやカカオなどの商品作物を安く大量につくるために、開発途上国などにつくった大規模な農園のこと。現地の自然を破壊するだけでなく、ひとつの農作物をつくることが多いため、生態系をみだすことがある。外国に輸出するための農作物なので、現地の人の食料にはならない。

ガーナのプランテーションのようす。ガーナでは、チョコレートの原料になるカカオの生産が、国の経済の中心となっている。

24

収穫量を上げるために肥料をあたえたり、害虫がつかないように農薬をまいたりするけど、こういう肥料や農薬は環境にどんな影響があるの?

いまの農業では、栄養分を人工的に合わせてつくった化学肥料が多く使われている。ところが、化学肥料ばかり使っていると、その農地の微生物がいなくなってしまうことがあるんだ。それに、化学肥料の成分が水にとけ出して、川をよごしたりすることもあるよ。また、害虫や病気などをふせぐための農薬は、役に立つ生きものまで殺してしまったり、農作物に残った農薬が食べた人の健康に悪い影響をおよぼしたりする可能性もあるよ。

もっと知りたい! 農業と地球温暖化

機械を使ったり、温室栽培をおこなったり、農作物を輸送したりすると、地球温暖化の原因である温室効果ガスのひとつ、二酸化炭素が出てしまう。問題なのは、農地を広げるため、むやみに森林を切りひらくことだ。森林をへらすことは、森林の二酸化炭素を吸収するはたらきをうばうことにつながる。

● 世界の温室効果ガス排出量にしめる農業と林業の割合

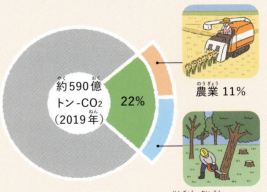

約590億トン-CO2(2019年) 22%

農業 11%

林業、開墾など 11%

出典:農林水産分野におけるカーボン・クレジットの拡大に向けて(農林水産省)

調べてみよう! 日本 農林業 温室効果ガス 排出量

25

なぜそうなっているの？⑦

バイオマスエネルギーが食料不足の原因になっているの？

バイオマスエネルギーってどういうものなの？

植物や動物などの生物を原料としてつくられるエネルギーを、バイオマスエネルギーというよ。そのひとつ、バイオエタノールという燃料は、トウモロコシやサトウキビなどからつくられているんだ。環境にやさしい燃料として、自動車の燃料や発電に使われているよ。とくにアメリカ合衆国やブラジルなど、原料となるトウモロコシやサトウキビを大量に栽培している国でよく使われているんだ。

もっと知りたい！

なぜ、バイオマスエネルギーは環境にやさしいの？

バイオマスエネルギーを燃やすと、やはり二酸化炭素は出る。でも、原料の植物は、成長するときに、空気中の二酸化炭素を吸収しているから、全体でみると、空気中の二酸化炭素の量をふやすことにはならない。そのほか、バイオマスエネルギーは、石油などの化石燃料とちがって、再生可能（つぎつぎにつくることが可能）であり、また、いろいろな地域で原料をつくることができる。

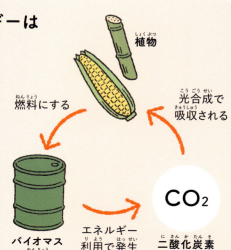

環境にやさしいエネルギーなんだね。

じゃあ、もっとバイオマスエネルギーを使えばいいんじゃない？

でも、トウモロコシやサトウキビはだいじな食料でもあるんだ。これから、人口がますますふえて、食料がさらに必要になってくる。穀物は、やっぱり食料にするべきだという意見もあるんだ。そのため、木材や食品廃棄物など、食料を使わないバイオマスエネルギーが注目されているよ。

ブラジルのサトウキビ畑。アメリカ合衆国につぐ、世界2位のバイオエタノール生産国であるブラジルでは、サトウキビの50～65％がバイオエタノールの原料となっている。

調べてみよう！　バイオマス燃料　原料

これからどうすればいいの？①
世界の人口がふえているけど、食料はだいじょうぶなの？

これからも、いろいろな課題がありそうだね。どのような問題があって、いまどのように取り組んでいるのか紹介するよ。これからどうしたらいいのか、いっしょに考えてみよう。

世界の人口はふえつづけているって聞いたけど、どのくらいふえているの？

1970年代半ばに約41億人だった世界人口は、2024年に、その2倍の約82億人になり、2080年には、約103億人になると考えられているんだ。もちろん、人口がふえるぶん、必要な食料の量もふえるから食料の生産量をふやさなければならない。人口の増加は、これからの食料問題の大きな課題のひとつなんだよ。

インドの市場。インドは人口の増加がとくに多く、2023年には中国をぬいて人口世界一になった。同時に、食料不足が大きな問題になっている。

調べてみよう！　世界の人口　変化

でもいままでも人口はふえてきたんだよね。これまでと同じようにするのではだめなの？

人間は、これまでは生産技術を進歩させたり、農地を広げたりすることで食料の生産量をふやして、人口の増加に対応してきた。これからも同じ方法で、生産量をふやしていくしかないんだよ。でも、これからは自然災害や気候変動の影響も受けるし、自然環境を守ることも考えなければならない。働いて得るお金のことを所得というのだけれど、今後は、人々の所得が少ない国の人口がふえていくと考えられているんだ。だから、じゅうぶんなお金がない人たちに、食料を行きわたらせることが、いままで以上に重要になってくるよ。

● 将来人口の変化

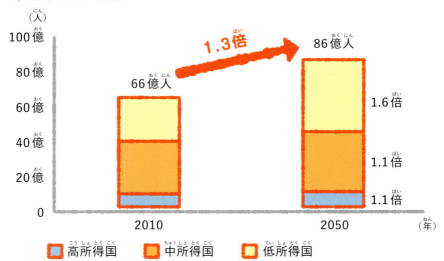

■高所得国……1人あたりの国民所得が1万2236アメリカドル以上の国。
■中所得国……1人あたりの国民所得が1006～1万2235アメリカドルの国。
■低所得国……1人あたりの国民所得が1005アメリカドル以下の国。

出典：「2050年における世界の食料需給見通し」（農林水産省）」

29

これからどうすればいいの？②
将来、世界で必要になる食料はどのくらい？

世界の人口がふえていくとなると、どれくらいの量の食料が必要になるの？

前のP.29のグラフも見てね。世界の人口はふえつづけていて、2050年には1.3倍の約86億人になると考えられているんだ。食料の消費量となると、2010年で約34億トンだったのが、2050年には1.7倍の約58億トンが必要になると予測されているよ。とくに、開発途上国など低所得国ののびが大きいんだ。

● **食料の消費量の見通し**

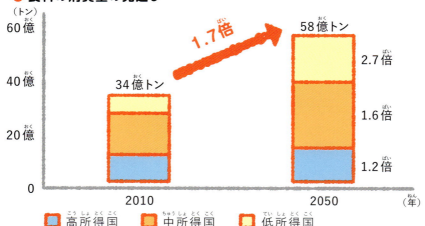

- ■高所得国……1人あたりの国民所得が1万2236アメリカドル以上の国。
- ■中所得国……1人あたりの国民所得が1006〜1万2235アメリカドルの国。
- ■低所得国……1人あたりの国民所得が1005アメリカドル以下の国。

出典：「2050年における世界の食料需給見通し」（農林水産省）」

☞P.29

30

やっぱり、肉や魚の消費量もふえていくのかな？

肉の消費量は、この60年で約5倍にふえた。収入がふえると、肉などの畜産物の消費量はふえることが多いから、これからも低所得国を中心にふえていくと考えられているんだ。2050年には、2010年の約1.8倍にあたる、約14億トンになると予想されているよ。また、水産物の消費量も、この50年で約3.5倍になっている。最近は養殖による生産量がふえているけれど、水産物の消費量の増加をカバーできていないんだ。

アメリカ合衆国で飼育されている肉牛。アメリカ合衆国は牛肉生産量が世界一（2022年）で、海外への輸出量も多い。

中国の海上養殖用いけす。最近の中国では、需要の高まりに対応して、年間生産量が数千トンにもなる巨大ないけすが、次つぎとつくられている。

これからどうすればいいの？③
いまよりも農作物の収穫量をふやすことはできるの？

食べものの消費量がふえていくのなら、もっとたくさん農作物がとれるようにすればいいね。

まず思いつくのは、農地をふやすことだけれど、これまでみてきたとおり、森林破壊や、土地・水の利用の問題があるね。乾燥した土地をかんがいして農地にしようとすると、土地にふくまれた塩分が増えて作物が育ちにくくなる塩害が起こって、まわりの農地まで利用できなくなることもある。だから、農地はかんたんにふやせないんだ。さまざまな技術を使って、面積あたりの収穫できる量をふやせばいいんだけれど、その場合も、化学肥料や農薬の使いすぎに気をつけなければならないよ。

農薬の散布。害虫や雑草をとりのぞく農薬は農業には欠かせないものだが、使いすぎると土壌にいる生きものも殺してしまう。

P.15、P.17、P.25

収穫量をふやすための技術って、どういうものがあるの?

さまざまな農作物で品種改良がおこなわれているよ。病気や害虫に強くしたり、乾燥に強くしたり、たくさん実がなるようにしたりして、その土地の気候に合うような性質をもたせるんだ。イネを例にあげると、塩害や日照不足などに強い品種の開発が進められているんだ。

気温が低くても多くの穂がなるイネ。
画像提供:農研機構

地球温暖化によって気温が高くなったことで、いままで栽培できていた農作物が育ちにくくなる問題が起こっているんだ。そこで、さまざまな農作物で、地球温暖化に対応した新しい品種の開発が進められているよ。たとえば、「紅みのり」というリンゴは、気温が高くても、歯ごたえが長持ちし、色づきもよくなるように改良された品種なんだよ。

品種改良で生まれた、暑さに強いリンゴ「紅みのり」。
画像提供:農研機構

もっと知りたい!

導入がすすむスマート農業

スマート農業は、情報機器やAI(人工知能)などを活用した農業のこと。農作業を効率的におこない、収穫量をふやす方法として、導入がすすめられている。整地や田植え、農薬散布、育成状況の確認や収穫作業など多くの作業を自動化できるため、これまでのように人手がかからない。

農薬散布をするドローン。ドローンは育成状況の確認のための空中撮影などにも使われる。

33

これからどうすればいいの？④
農業の生産量を上げて、ずっとつづけていくにはどうすればいいの？

かぎられた農地で農業をつづけていくには、どのように取り組めばいいの？

SDGsの目標のとおり、いまの社会の問題は持続可能なように、つまり将来にわたってつづけていけるように考えることが重要なんだ。農業でも、一時的に生産量がふえても意味がないし、環境に悪ければつづけていけない。人口がふえても、すべての人に食料が行きわたるように生産することがだいじなんだ。品種改良のほか、化学肥料や農薬を使わない有機農業、植物をそのまま肥料にする緑肥など、地球にやさしい農業への取り組みがはじまってるよ。

畑のレンゲ。レンゲは、そのまま土にすきこむと、品質のよい肥料となる。このように、植物をそのまま使う肥料を緑肥という。

食料不足が心配される開発途上国へは、どんな支援がおこなわれているの?

開発途上国に対しては、先進国の進んだ農業技術を伝えるために、国連食糧農業機関（FAO）や、各国のNPO機関などが、さまざまな支援や協力をおこなっているよ。日本でも、国際協力機構（JICA）などが、アフリカやアジアなどの開発途上国に対して、農業技術を伝えたり、農地やかんがい設備をつくるための援助をおこなっているんだ。このような援助活動は時間と手間がかかるけど、長い目でみると、単にお金や食料を手わたすよりも、それらの国々を豊かにする助けになるんだよ。

日本の国際協力機構（JICA）によるアフリカでの稲作指導のようす。　画像提供：国際協力機構（JICA）

もっと知りたい！ 代替肉—肉にかわる食料

大豆などの植物からつくる植物肉や、肉の細胞を人工的に育ててつくる培養肉といった代替肉が注目されている。家畜を飼わないので環境にもやさしいし、高たんぱくで脂質も少ないので健康によい。また、動物よりも少ない水とえさで育てることができるコオロギなどの昆虫も、新しい食料として注目されている。

代替肉を使ったソーセージ。肉のかわりに大豆が使われているものが多い。

35

これからどうすればいいの？⑤

食料問題のために わたしたちができることはあるの?

飢えや、生産量不足、将来の消費量の増加など、食料問題の中には、いくつもの課題があるよね。わたしたちに何かできることはあるの？

まずは食品ロスを、できるだけへらすことからはじめてみたらどうだろう。食品ロスをへらせば、すぐに食料が不足している人にとどくわけではないけれど、世界の多くの人々が同じようにすることで、むだな食料がへれば、だんだんと必要な人に食べものがとどくようになるんだよ。
社会問題を解決するには、たくさんの人による小さな取り組みのつみかさねが必要なんだ。身近でできることからはじめてみよう。

● 食品ロスをへらすくふう

・買い物前に家にある食材をチェックし、同じものを買わないようにする。

・料理は食べきれる量だけつくる。

・すぐに食べる食品は、消費期限や賞味期限ができるだけ近いものを選ぶ。

・料理はできるだけ残さず食べる。

☞P.10

食品ロス以外にも貧困や、地球温暖化、自然災害、戦争など、いくつもの原因がかさなって、食料不足になっているよね。いったいどうすればいいの？

やっぱり、身近でできることを少しずつ実行していくしかないんだ。たとえば、食料を遠い外国から輸入すると、輸送に多くの燃料を使うことになり、地球温暖化につながるよね。だから、近くでつくられた野菜を選んで買ったり、国産の食品を使ったりする地産地消もひとつの方法だよ。ほかにも、貧しい国の生産者の生活をよくすることを考えたフェアトレード商品を買ったり、環境に配慮してつくられた食品を選んだりすることもできるよ。こういった環境や人にやさしい消費活動のことをエシカル消費というんだよ。みんなも自分にできることからやってみるといいよ。

キーワード 🔑 エシカル消費

わたしたちが買ったり使ったりして消費している商品は、世界の環境問題や、食料問題、飢え、貧困などの問題とつながっている。できるだけ、人や社会、環境などのためになる商品を選んで使おうという考えをエシカル消費という。エシカル消費は、SDGsのゴール12「つくる責任 使う責任」に関係する取り組みといえる。エシカル消費の例としては、地産地消、フェアトレード商品、エコ商品（環境に配慮した商品）、省エネ、食品ロスをへらすこと、リサイクルなどがあげられる。

代表的な地産地消の例である道の駅での野菜の直売。輸送のエネルギーが少ないうえ、消費者は新鮮な野菜を購入できる。

📖 4巻

あとがき

　本書では、わたしたちをとりまく食料についていっしょに考えてきました。

　おいしくて栄養のある食事が、わたしたちの元気な生活をささえています。ところが実は日本の食料の3分の2は外国からの輸入にたよっています。一方で世界には貧しさのためにじゅうぶんな食事を食べられない人もいます。また日本や世界の食料の生産は、農地の不足や、戦争や地球温暖化の影響でへってしまうおそれもあります。それにもかかわらずたくさんの食べものがごみとして捨てられています。食品ロスをなくし、環境に配慮した商品を選ぶなど、将来にわたって世界の人々が安心して食事を楽しめる社会をみんなでつくっていきましょう。

京都大学名誉教授　**松下和夫**

食料問題 さくいん

あ行

異常気象 13,22
エシカル消費 37
SDGs 34,37
塩害 32

か行

化学肥料 25,32,34
かんがい 17,32
飢餓 2,3,20
気候変動 29
米不足 9

さ行

消費期限 11
賞味期限 11
食品廃棄物 10,27
食品ロス 10,36,37
食糧 5
食料自給率 12,13
食料不足 18,20,21
森林 15,24,25,32
スマート農業 33
世界人口 28

た行

代替肉 35
地球温暖化
.... 13,22,23,25,33
地産地消 37

な行

農地 14,15,24,29,32
農薬 25,32,34

は行

バーチャルウォーター 17
バイオエタノール 26,27
バイオマスエネルギー 26,27
品種改良 33,34
プランテーション 24

ま行

水 16,17,25,32

や行

焼畑農業 24
有機農業 34

ら行

緑肥 34

39

● 装丁・デザイン
株式会社東京100ミリバールスタジオ

● イラスト
さはら そのこ

● 執筆協力
山内 ススム

● 編集制作
株式会社KANADEL

● 写真協力
PIXTA
アフロ
国際協力機構（JICA）（P.35）
農研機構（P.33）
山元町（P.22）

監修 松下 和夫

京都大学名誉教授。（公財）地球環境戦略研究機関（IGES）シニアフェロー。環境庁（省）、OECD環境局、国連地球サミット上級環境計画官、京都大学大学院地球環境学堂教授（地球環境政策論）などを歴任。地球環境政策の立案・研究に先駆的に関与し、気候変動政策・SDGsなどに関し積極的に提言。持続可能な発展論、環境ガバナンス論、気候変動政策・生物多様性政策・地域環境政策などを研究している。主な著書に「1.5℃の気候危機」（2022年、文化科学高等研究院出版局）、「環境政策学のすすめ」（2007年、丸善株式会社）、「環境ガバナンス」（2002年、岩波書店）などがある。

おもな出典

「The State of Food Security and Nutrition in the World 2023」世界保健機関、「FAOSTAT」国際連合食糧農業機関、「令和4（2022）年度食品ロス量推計値の公表について」消費者庁、「DRIVEN TO WASTE：GLOBAL FOOD LOSS ON FARMS（2021）」世界自然保護基金
「Water：a shared responsibility（2006）」国際連合教育科学文化機関、「令和2年 水産白書」水産庁、「農林水産分野におけるカーボン・クレジットの拡大に向けて」農林水産省、「世界の食料需給の動向」農林水産省、「令和2年 水産白書」水産庁、「海面漁業生産統計調査」農林水産省、「世界の食料需給の動向」農林水産省、「2050年における世界の食料需給見通し」農林水産省など

いちからわかる環境問題① 食料問題

2025年2月　第1刷発行

監　　修	松下 和夫	
発 行 者	佐藤 洋司	
発 行 所	さ・え・ら書房	
	〒162-0842　東京都新宿区市谷砂土原町3-1	
	TEL 03-3268-4261　FAX 03-3268-4262	
	https://www.saela.co.jp/	
印 刷 所	光陽メディア	
製 本 所	東京美術紙工	

ISBN978-4-378-02541-4　NDC519
Printed in Japan